KB197271

이정록(李楨錄, Lee Jeonglock) 시
1964년 충남 홍성에서 출생했습니다. 대학에서 한문교육과 문학예술학을 공부했습니다.
1989년 〈대전일보〉 신춘문예와 1993년 〈동아일보〉 신춘문예에 시로 당선했습니다.
동화책 《아들과 아버지》, 《대단한 단추들》, 《미술왕》, 《십 원짜리 똥탑》과
동시집 《아홉 살은 힘들다》, 《지구의 맛》, 《저 많이 컸죠》, 《콧구멍만 바쁘다》와
그림책 《나무의 마음》, 《어서 오세요 만리장성입니다》, 《아니야!》, 《황소바람》, 《달팽이 학교》, 《똥방패》가 있습니다.
시집 《그럴 때가 있다》, 《동심언어사전》, 《눈에 넣어도 아프지 않은 것들의 목록》, 《어머니 학교》, 《정말》, 《의자》 등이 있고,
청소년 시집 《아직 오지 않은 나에게》, 《까짓것》과 산문집 《시가 안 써지면 나는 시내버스를 탄다》, 《시인의 서랍》이 있습니다.
김수영문학상, 김달진문학상, 윤동주문학대상, 박재삼문학상, 한성기문학상, 천상병동심문학상을 받았습니다.

주리(珠利, Julee) 그림
서울예술대학교에서 시각디자인을 공부했습니다. 특유의 감성과 분위기로 마음속에 오래 기억될 수 있는 좋은 그림을 그리고자 늘 힘쓰고 있습니다.
그동안 그린 책으로는 《김용택 시인의 자갈길》, 《달팽이 학교》, 《한계령을 위한 연가》, 《할머니 집에 가는 길》, 《흰 눈》, 《사랑》, 《달려라, 꼬마》,
《코끼리 놀이터》, 《용감한 리나》, 《흑설공주》, 《유리 구두를 벗어 버린 신데렐라》 등이 있으며, 《여섯 번째 사요코》, 《방과 후》,
《승리보다 소중한 것》, 《모던보이》, 《지독한 장난》 등 다수의 소설 표지 그림을 그렸습니다.
홈페이지 www.by-julee.com

안선재(앤서니 수사, Brother Anthony of Taizé) 번역
영국에서 태어나 옥스퍼드대학교에서 학위를 받고, 1994년에 우리나라로 귀화했으며,
대한민국문학상 번역부문 대상, 대산문학상 번역상, 한국펜클럽 번역상을 수상했고,
2008년 옥관문화훈장을 받았습니다.
고은 시인의 《만인보*Ten Thousand Lives*》 등 30권 이상의 한국 시와 소설의 영문 번역서를 냈습니다.

오리 왕자
Duckling Prince

1판 1쇄 | 2023년 4월 20일
1판 3쇄 | 2024년 10월 21일

시 | 이정록
그림 | 주리
번역 | 안선재(Brother Anthony of Taizé)

펴낸이 | 박현진
펴낸곳 | (주)풀과바람
주소 | 경기도 파주시 회동길 329(서패동, 파주출판도시)
전화 | 031) 955-9655~6
팩스 | 031) 955-9657
출판등록 | 2000년 4월 24일 제20-328호
블로그 | blog.naver.com/grassandwind
이메일 | grassandwind@hanmail.net

편집 | 이영란
디자인 | 박기준
마케팅 | 이승민

값 14,000원
ISBN 978-89-8389-150-1 77810

※잘못 만들어진 책은 구입처에서 바꾸어 드립니다.

제품명 오리 왕자 | **제조자명** (주)풀과바람 | **제조국명** 대한민국
전화번호 031)955-9655~6 | **주소** 경기도 파주시 회동길 329
제조년월 2024년 10월 21일 | **사용 연령** 3세 이상
KC마크는 이 제품이 공통안전기준에 적합하였음을 의미합니다.

⚠ 주의
어린이가 책 모서리에
다치지 않게 주의하세요.

오리 왕자

시 **이정록** · 그림 **주리**

바우솔

엄마 오리 뒤에

새끼 오리 다섯 마리

다섯 번째 오리가

네 번째 오리에게 물어봅니다.

"앞에 엄마 있어?"

네 번째 오리가

세 번째 오리에게 물어봅니다.

"앞에 엄마 있어?"

세 번째 오리가

두 번째 오리에게 물어봅니다.

"앞에 엄마 있어?"

두 번째 오리가

첫 번째 오리에게 물어봅니다.

"앞에 엄마 있어?"

첫 번째 오리가 고개를 돌려

두 번째 오리에게 말합니다.

"엄마도 있고
나도 있잖아."

두 번째 오리가 고개를 돌려

세 번째 오리에게 말합니다.

"엄마도 있고
누나도 있고
나도 있잖아."

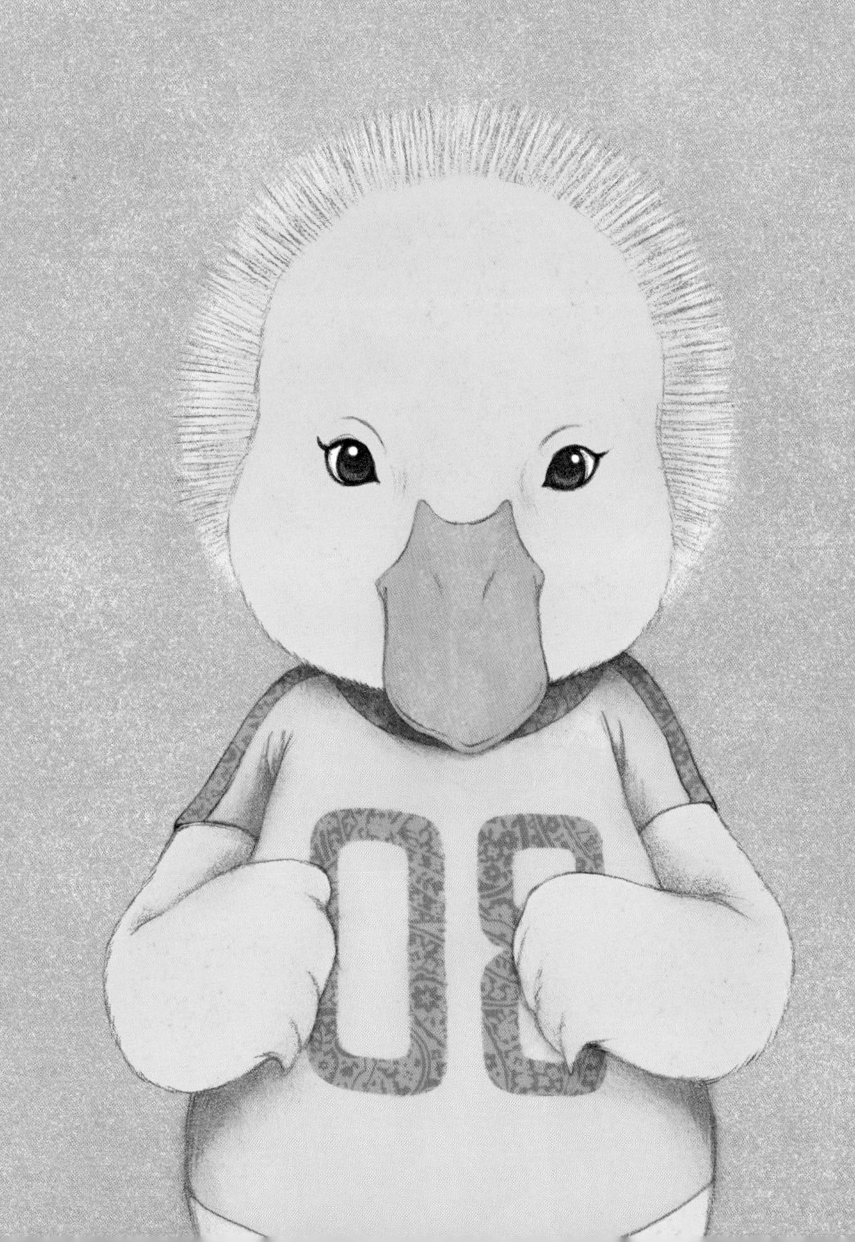

세 번째 오리가 고개를 돌려

네 번째 오리에게 말합니다.

"엄마도 있고
누나도 있고 형도 있고
나도 있잖아."

네 번째 오리가 고개를 돌려

다섯 번째 오리에게 말합니다.

"엄마도 있고
누나도 있고 형도 둘이나 있고
나도 있잖아.
잘 따라오기만 해."

다섯째 오리가

고개를 돌려

드넓은 호수에게 외칩니다.

내가 왜 맨 뒤에 있게?

그건, 내가 가장 용감하거든.

놀라지 마.

오리와 독수리는 조상이 같아.

둘 다 부리가 노랗거든.

쉿!
저기 악어가 숨어 있는 게 분명해.
계속 따라오면 악어 콧구멍을
물갈퀴로 막아 버릴 거야.

이다음에 나는

호수를 지키는 왕이 될 거야.

Duckling Prince

Behind the mother duck,
five ducklings in a row.

The fifth duckling
asks the fourth duckling:

Is Mom in front?

The fourth duckling
asks the third duckling:

Is Mom in front?

The third duckling
asks the second duckling:

Is Mom in front?

The second duckling
asks the first duckling:

Is Mom in front?

The first duckling turns her head
and tells the second duckling:

There's Mom,
and me too.

The second duckling turns his head
and tells the third duckling:

There's Mom,
and sister and me too.

The third duckling turns his head
and tells the fourth duckling:

There's Mom
and sister and brother
and me too, okay?

The fourth duckling turns his head
and tells the fifth duckling:

There's Mom
and sister,
our two brothers,
and me too, okay?
So just follow along at the back.

The fifth duckling
turns his head
and calls out to the wide lake.

Why do you think I'm right at the back?
It's because I'm the bravest, that's why.

Don't be surprised
Ducks and eagles have the same ancestors.
They both have yellow beaks.

Shh!
There's surely a crocodile hiding there.
If it keeps following us, I'll block up its
nostrils
with my webbed feet and get rid of it so.

Later,
I'll become the King who guards the lake.